BIP

DU MÊME AUTEUR

Au nom du père et du fils, La Presse, 1984.
Le Sorcier, La Presse, 1989.
Sire Gaby du Lac, Quinze, 1989.
Les Ailes du destin, Libre Expression, 1992.
Le Grand Blanc, Libre Expression, 1993.
L'oiseau invisible, Stanké, 1994.

BIP

Texte
et illustrations
de
Francine Ouellette

Libre Expression

Données de catalogage avant publication (Canada)
Ouellette, Francine, 1947-
BIP
ISBN 2-89111-646-1
I. Titre.
PS8579.U423B56 1995   C843'.54   C95-941588-2
PS9579.U423B56 1995
PQ3919.2.093B56 1995

Infographie
FRANCE LAFOND

© Éditions Libre Expression
2016, rue Saint-Hubert
Montréal, Qc H2L 3Z5

Dépôt légal:
4ᵉ trimestre 1995

ISBN 2-89111-646-1

 IMPRIMÉ AU CANADA

À ma fille, Metchinou-Alexandra,
et à tous les humanoïdes
qui ont conservé leur coeur d'enfant.

Mille fois merci à mon amie
Gisèle Bertrand d'effectuer si gentiment la
première révision de mes textes.

Introduction

Mont-Laurier, septembre 1968,
polyvalente Saint-Joseph.

J'attends. Tremblante, anxieuse. Bientôt
l'heure, l'instant fatidique où se jouera mon
avenir. La cloche sonne, annonçant le retour en
classe. Plus aucune fuite possible. Ou j'ouvre la
bouche pour donner mon premier cours d'arts
plastiques, ou je fonds en larmes. Laquelle des
deux solutions est la moins gênante? Ni l'une ni
l'autre, quoique je trouve la deuxième plutôt
humiliante. Enfant, elle me convenait
parfaitement. Timide à l'excès, je me mettais à
pleurer dès qu'un membre du corps professoral
m'adressait la parole. Et je pleurais jusqu'à ce
qu'on me laisse tranquille. Mais là, c'est moi le
professeur. Dans quelle galère me suis-je
embarquée! J'ai l'impression d'être brutalement
jetée à l'eau alors que je ne sais même pas nager.
Pourtant, j'ai bien appris les mouvements lors de
mes études en pédagogie artistique à l'École des
beaux-arts. Mais ce n'étaient que des exercices sur
la terre ferme. Bien sûr, il y avait les stages du
samedi où l'on barbotait sans plus avec une
poignée d'enfants qui y assistaient de leur plein

gré. Mais là, je suis dans une polyvalente de deux mille élèves qui ont le choix entre un cours académique et celui d'arts plastiques. C'est la mer… Que dis-je? C'est l'océan! Aussi aberrant que cela puisse paraître, je n'avais jamais vraiment envisagé de déboucher sur une telle réalité, espérant bien naïvement arriver à vivre de l'Art.

Trente garçons de niveau secondaire II s'engouffrent bruyamment dans le local exigu. Trente jeunes chiens fous sans laisse. «Yahou! C'est le cours de barbouillage!» Coule à pic la belle théorie du développement de la créativité chez l'enfant. Et je plonge.

Les genoux flageolants, la gorge sèche, des papillons plein l'estomac, j'ai réussi à me rendre à la fin de cette première période. Ah! comme j'ai aimé la sonnerie qui me délivrait de mes petits gars! Étant donné la manière dont ils se sont évadés, je crois qu'eux aussi l'ont bien appréciée. Dix minutes pour reprendre haleine et m'encourager à plonger de nouveau. Finies les rêveries! La réalité est là, palpable et impitoyable. Je dois me plier aux dures exigences de la vie. Que soient blâmés Adam et Ève de nous avoir condamnés à gagner notre pain à la sueur de notre front!

Fort heureusement, mon horaire comporte quelques périodes libres où je me retrouve seule dans l'atelier. C'est là qu'est né Bip. Tout à fait par hasard et d'une manière spontanée. Il me parlait, me racontait des choses que je griffonnais fébrilement. Peu à peu, il guidait mon crayon sur la feuille blanche afin que son image se précise. J'ai cru comprendre qu'il s'appelait Bip. À quoi cela rime-t-il? Mais à rien. C'est comme ça. On peut toujours trouver une logique à ce nom car ce **bipède** inconnu **pacifique** est **bien** innocent parfois.

Depuis le jour de sa naissance alors que j'accomplissais mes premières brasses dans le monde adulte, il m'a toujours accompagnée. Il figurait dans mes écrits, dans mes lettres d'amour, dans mes souhaits, et il veillait sur le berceau de ma fille. Présent aux événements joyeux, il a toujours été là dans les moments difficiles. Il est ma petite bouée dans cette mer d'incompréhension qu'est l'humanité. Comme lui et avec lui, j'essaie de comprendre.

Cela fait déjà vingt-sept ans qu'il m'habite. Je crois qu'il convient maintenant de vous le présenter. J'espère qu'il vous apportera autant qu'il m'apporte.

Francine Ouellette

Un être limpide

C'est peut-être du ciel que je suis venu. Avec un parachute, j'aurais pu atterrir sans me faire mal.
Il ne faut pas se faire mal, paraît-il.

Ou encore je serais sorti d'un œuf. Pour ça, il faut briser une coquille. Crac! Rien qu'à naître, j'aurais déjà brisé quelque chose?

J'aurais pu germer aussi. Le soleil et l'eau aidant. Tiré par en haut. Tiré par en bas. Pas encore sorti et déjà tiraillé.

J'ai beau essayer de voir loin derrière, je ne sais ni quand ni comment je suis arrivé ici. Mais j'y suis arrivé.

Mon premier souvenir est cette chose qui m'empêchait d'aller loin devant.

Pourquoi était-elle là? Pourquoi m'interdisait-elle tout cet espace qui m'invitait? D'où venait-elle?

Je posai le doigt dessus pour établir la communication… Aïe!

Un frisson me parcourut et je m'en éloignai.

Je découvris alors cet être merveilleux …

Coloré,
rond, invitant.

Il roulait…
bondissait…
se laissait serrer tout contre.
   Lorsque je l'envoyais en l'air, il
revenait aussitôt se réfugier dans mes
bras. Et, si je le poussais du pied, il
m'attendait sagement dans l'herbe.
   En jouant avec lui, j'appris bien vite à
le connaître.
   Il flottait même sur l'eau.

Il était merveilleux, mon ami.

Amusant.
Infatigable.

D'un simple petit coup de pied, je le faisais
voler bien plus loin et bien plus haut.
Et c'était rassurant de savoir qu'il m'attendait
toujours.
YOUPI!

Il était tombé sur cette chose horrible. Je courus vite vers lui mais, quand j'arrivai, il ne se ressemblait déjà plus.

Par un petit trou, j'entendais sortir
son souffle. Je tentai de le boucher.
Aïe! Aïe!

Peine perdue! Mon ami avait
disparu… Ne restait de lui qu'une
enveloppe vide.
Vide…
comme le vide que je ressentais.
Par quel petit trou mon ami
s'échappait-il de moi?

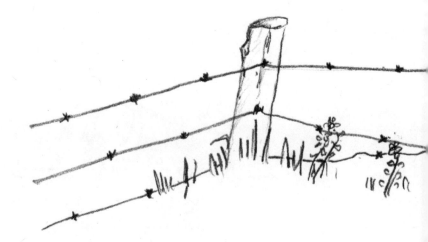

Était-ce par le même petit trou que s'engouffrait un mal en moi? Un mal qui, comme un grand mouvement, déferlait, m'envahissait et m'obligeait à m'en prendre à cette chose horrible.

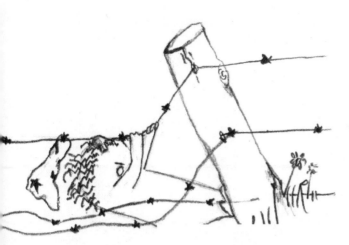

Où était-il? Qu'était-il donc devenu, tout inerte et mou entre mes bras? Je me repliai sur lui dans l'espoir de le rejoindre où qu'il fût. «Je suis là», murmurai-je. Un silence me répondit. Si intense et vertigineux que je ne sentis pas une présence près de moi.

— Bonjour… Euh… Merci d'avoir brisé la clôture. Je peux sortir maintenant?

— Sortir? Clôture? Qui es-tu?

— Je suis un cheval et la clôture est cette chose qui m'empêchait d'aller sur la colline d'herbe tendre là-bas.

— Elle est méchante. Regarde ce qu'elle a fait de mon ami.

— Ce n'est pas de chance pour lui.

— Pour moi non plus.

— Je vois, oui. Que veux-tu? C'est comme ça. Des clôtures, il y en a partout.

— D'où viennent-elles?

— Elles viennent des humains. Ce sont eux qui les installent.

— Les humains?

— Tu ne les connais pas?

— Non, mais je n'en ai pas envie maintenant que je connais leur clôture.

— Tu permets que je sorte?

— Ah? Tu étais en dedans?

— Bien sûr: j'étais enfermé.

— Pourquoi dis-tu cela?

— Parce que je voulais aller par là, brouter sur la colline, et que je ne pouvais pas à cause de la clôture.

— Ah? Moi, c'est par là que je voulais aller, loin devant. J'étais enfermé, alors?

— Aucune idée.

— Je vais sortir de mon côté. Toi, tu sortiras du tien.

Je marchai donc loin devant à la recherche d'un lieu où déposer l'enveloppe de mon ami.

Je crus avoir trouvé lorsque j'arrivai dans un vallon plein de fleurs. Il me semblait le voir s'envoler de mes bras et toucher à peine le sol avec un bruit de tiges ployées.

Mais si, plus loin, c'était encore mieux?

Je marchai encore et encore jusqu'à… et rebroussai bien vite chemin.

Je sais que tu n'es plus là-dedans mais je n'ai qu'à fermer les yeux pour que tu reviennes habiter mon cœur.

Tu sais, le cheval a raison pour les clôtures; il y en a partout.

Je dois en savoir plus sur les humains. Je laisse ton enveloppe ici: elle sera en paix.

Je reviendrai.

Je partis vers la colline d'herbe tendre, bien décidé à tout connaître des humains. Le cheval y broutait paisiblement à l'ombre d'un arbre.

Et pourquoi ils installent des clôtures, les humains?

— Pour définir ce qui leur appartient. Par exemple, moi, j'appartiens à mon maître, ainsi que le champ où j'étais.

— Qu'est-ce que ça veut dire, appartenir à?

— Quand on appartient à, on n'est pas libre de faire ce qu'on veut.

— Libre? C'est quoi, ça?

— C'est… c'est… c'est ce qu'il y aurait s'il n'y avait pas de clôtures. Je me souviens de ces matins torrides où je rêvais d'ombre et de trèfle frais mais où mon maître m'attelait à la calèche que je devais traîner sur l'asphalte brûlant et puant. S'il n'y avait pas eu de clôtures, donc pas de maître, j'aurais brouté à l'ombre des arbres. Mais je devais travailler.

— Pourquoi?

— Pour mon maître. Lui aussi, il aurait préféré se reposer, ces matins-là, mais il n'était pas libre, lui non plus.

— Pourquoi?

— Il y a toujours quelqu'un qui possède quelqu'un. C'est comme ça chez les humains. Mon maître me possédait avec la calèche et le champ. Mais lui, il appartenait à ces autres qui montaient dans la calèche et lui disaient: « Va ici! Va là!»

— Et c'est partout plein de clôtures?

— Oui. Il y en a de toutes sortes. En bois, en pierre, en fer. Des hautes, des petites, des électriques. Ah! celles-là sont sournoises. Il y en a des invisibles aussi: paraît qu'elles sont très longues et importantes. On les nomme frontières. Il y a même déjà eu un mur qui séparait une ville en deux. On l'appelait le mur de la honte. À l'intérieur des frontières, il y a de grandes clôtures, et, à l'intérieur des grandes clôtures, il y en a des moyennes, et, à l'intérieur des moyennes, des petites, et, à l'intérieur des petites, des plus petites.

— C'est embêtant, cette histoire de clôtures. Pourquoi les humains ne les éliminent-ils pas?

— Aucune idée.

— Ils n'auraient qu'à ne plus rien posséder.

— Ou à posséder tous ensemble la même Terre. Hélas! ils ne communiquent pas entre eux.

— Pourquoi?

— Parce qu'ils n'ont pas tous le même langage.

— Qu'est-ce qu'un langage?

— Des sons qui veulent dire les choses.

— Moi, j'entends les choses.

— Toi, oui, mais pas les humains. Quand mon maître s'adressait à moi, il criait: « Hue! Ya! *Woa! Back up!*»

— Pourquoi ils n'ont pas tous les mêmes sons pour dire les choses?

— Aucune idée.

— Je crois savoir maintenant à quoi ressemble un humain…

Hue! Woa!
Stop! Achtung!

— Qu'est-ce que c'est, cheval?

— C'est la chaîne de mon licou.

— À quoi sert-elle?

— Elle sert à mon maître.
Il n'a qu'à la prendre et à
tirer dessus pour que je
le suive.

— Et pourquoi tu le suis?

— Parce que je lui appartiens.

— Si je n'ai ni chaîne ni licou, c'est que je
n'appartiens à personne?

— Ça doit.

— Est-ce que c'est grave?

— C'est plutôt heureux, je crois.

— Mais rien ne m'appartient non plus puisque
je n'ai pas installé de clôtures.

— En effet, tu les as plutôt brisées. Grâce à toi,
je suis libre maintenant.

— Mais tu as toujours ton licou…

Et la chaîne de ce licou était entre mes mains.
Ce n'était pas compliqué pour moi de m'en
servir afin qu'il me suive et que
j'en devienne ainsi le maître.

— Je crois avoir entendu couler
un ruisseau par là, dit alors le cheval.
Il partit et je suivis. J'avais beau
tenir la chaîne, je compris que
cela ne faisait pas de moi son maître.

Il allait vite avec ses quatre grandes pattes et c'était très inconfortable d'être traîné de cette façon. Les maillons me blessaient les doigts. Je lâchai prise.

— Attends-moi!

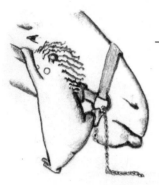

— Tu es mon maître maintenant?

— Pourquoi serais-je ton maître?

— Parce que je t'ai suivi au bout de la chaîne.

— Ah? Je ne m'en étais pas aperçu: tu es si léger. Je croyais que tu venais avec moi au ruisseau.

— J'aimerais bien, mais tu vas beaucoup trop vite et la chaîne me blesse les doigts.

— Oublie cette chaîne; nous n'en avons pas besoin. Nous irons ensemble. Monte.

— Oh! je ne vois plus les choses de la même manière.

— C'est parce que tu as changé de point de vue. Te voilà à mon niveau. Moi, c'est comme ça que je vois les choses.

— Étrange. D'ici, j'aperçois la clôture que j'ai brisée. D'en bas, je ne la voyais plus.

— Pas surprenant, tu as les yeux à la hauteur des fleurs. Tu ne peux pas voir bien loin.

— C'est inquiétant de voir loin, parce qu'on voit la clôture.

— Mais on voit aussi le ruisseau là-bas. Allons-y.

Le cheval partit au pas, tout doucement, et je me sentis bercé par lui. J'étais bien, là-haut, à découvrir les choses sous un autre angle. L'air sentait bon la végétation en fleurs, et la vue du ruisseau, scintillant au creux d'un vallon, faisait ma joie.

— J'ai rêvé si longtemps d'aller comme ça, sans calèche à traîner.

— Pourquoi tu n'en traînes plus, de calèche?

— Parce que je suis vieux.

— C'est quoi, être vieux?

— C'est être près du moment de partir d'ici.

— Partir d'ici comme mon ballon?

— Aucune idée.

— Moi, ça ne fait pas longtemps que je suis ici et je ne sais même pas d'où je viens. Toi, tu sais d'où tu viens et où tu partiras?

— Je viens de ma mère.

— Et ta mère, elle?

— Elle vient de la sienne et de la sienne et de la sienne. Toutes les mères viennent d'une mère.

— Et la première de toutes?

— Aucune idée.

— Et où t'iras quand tu partiras?

— Dans une fabrique de savon.

— Du savon?

— Les humains s'en servent pour se laver. Ils prétendent que ça sent bon. Moi, je préfère l'odeur du trèfle.

— Tu n'as qu'à aller dans une fabrique de trèfle, alors.

— Impossible; mon maître a toujours dit que je ferais du savon un jour.

— Et mon ballon, tu crois qu'il fait du savon?

— Aucune idée.

— Si j'en avais été le maître, je saurais peut-être où il est.

Cela me sembla alors beaucoup plus intéressant d'être un cheval que d'être moi-même. En tout cas, c'était moins compliqué et plus rassurant: on savait d'où on venait et où on allait.

Je décidai donc de devenir un cheval. Ce serait sûrement facile puisque j'avais petit à petit adopté son rythme, la chaleur et l'odeur de son corps, et que je voyais les choses comme lui. Nous ne formions déjà qu'un seul être qu'invitait le murmure de l'eau sur les pierres.

Mais, lorsque le cheval se pencha pour boire,
je compris combien j'étais loin d'en être un.

En se relevant, il me fit perdre l'équilibre et je me retrouvai à l'eau. Je fus tout de suite à l'aise dans cet élément et compris pourquoi mon ballon semblait affectionner le ruisseau.

C'était si bon de sentir sa caresse fluide sur mon corps. Il amenait avec lui la chaleur du jour et l'odeur du cheval. Je me sentis tout neuf.

Tout moi-même.

Content de l'être et de faire des éclaboussures.

Le cheval était retourné à sa colline et je suivais lentement ses empreintes. De toute façon, lorsqu'on est équipé de petites pattes comme les miennes, on ne peut aller bien vite.

Avec mes yeux à la hauteur des fleurs, je ne voyais plus la clôture brisée mais uniquement ce jardin magnifique d'où montait un parfum de lait et de miel.

Un jardin riche de tant de fruits.

De tant de créatures avec lesquelles je communiais dans la douceur du soir.

J'aurais pu aller ainsi indéfiniment dans un état bienheureux mais la vue de la clôture me rappela que le jardin avait hélas été morcelé par les humains.

Je pensai à mon ballon et, au lieu de rejoindre le cheval, je m'empressai de retourner auprès de lui. Ou de ce qui en restait.

La nuit arriva, avec ses myriades d'étoiles étincelantes. Le souffle de mon ballon était-il rendu là-haut, en cet endroit inaccessible qui me donnait le sentiment d'être bien petit et bien seul? L'immensité m'étourdissait et je regrettai la présence rassurante d'Aucune-Idée, le cheval.

Avec lui, j'avais appris que je ne connaissais rien à l'existence et que tout m'était un mystère.

Aurais-je pu posséder mon ballon? Aurais-je dû? L'avoir attaché, il n'aurait pas échoué bêtement sur une clôture. Était-ce ma faute si son enveloppe était inerte et vide à mes côtés?

Je me roulai en boule pour dormir, décidé à retrouver le cheval le lendemain.

Tôt le matin, je me mis en route, appréhendant le moment de passer devant la clôture. Quel ne fut pas mon étonnement d'y découvrir une créature fascinante, perchée là en toute innocence! Autant elle me paraissait belle et gracieuse, autant la clôture me parut laide et méchante.

— Bonjour. Qui es-tu? Que fais-tu là? C'est dangereux, les clôtures.

— Pas pour moi; je suis un papillon.

Il ouvrit des ailes magnifiquement colorées, voltigea un instant devant mes yeux éblouis et revint se poser au même endroit.

— Tu vois, c'est comme si elles n'existaient pas, pour moi.

— Tu es libre, alors. Aucune-Idée dit que la liberté c'est comme s'il n'y avait pas de clôtures. Tu viens avec moi le rejoindre?

— D'accord.

— Tu peux te jucher sur une de mes cornes si tu veux.

— Je préfère voler.

J'étais déçu. Moi, j'aurais aimé qu'il puisse voir les choses comme je les voyais.

Comment donc lui apparaissait Aucune-Idée endormi sur cette colline dont il avait tant rêvé? Il avait l'air de bien s'y reposer.

Je m'approchai sans bruit pour ne pas l'éveiller. Il ne bougea nullement. Je le touchai et le trouvai sans chaleur. Aucun souffle ne l'habitait. Je compris alors qu'il était parti dans la fabrique de savon.

Je ressentis de nouveau un grand vide. Une tristesse infinie. Un désarroi total car j'ignorais où se trouvait la fabrique de savon.

Le papillon se posa sur moi et cela me consola un peu.

J'avais tellement envie de m'envoler, moi aussi. De me détacher de tout ce qui me faisait mal.

Je me mis à suivre le papillon partout. À sauter pour connaître sa vision des choses. Que j'étais lourd! Mais lourd! Et lui, tellement léger!

Il évoluait dans un univers que les humains ne pouvaient morceler. Les clôtures ne limitaient aucunement son espace, ce qui n'était pas mon cas. Elles eurent vite fait de m'obliger à rester derrière alors qu'il volait de plus en plus loin.

Je ne le quittai pas des yeux jusqu'à ce qu'il devienne tout petit, petit, et disparaisse. Est-ce que pour lui j'étais devenu tout petit, petit, pour finalement disparaître, moi aussi? Je ne savais plus que faire sauf rester là, derrière.

Avec ma peine et toutes ces questions auxquelles Aucune-Idée ne répondrait plus.

Rien de ce qui m'entourait ne pouvait me rejoindre. J'étais ailleurs, grelottant devant d'infinis mystères.

J'avais besoin d'une présence. D'une communion avec un être, et j'attendis longtemps le papillon. Très longtemps. Jusqu'à la nuit. Mais il ne vint pas et je m'endormis d'épuisement. Reviendrait-il un jour vers moi?

«Peut-être est-il auprès d'Aucune-Idée», pensai-je le lendemain. Je retournai vite sur la colline. Le papillon n'y était pas et Aucune-Idée avait déjà commencé à se transformer dans la fabrique de savon. Il était tout gonflé et il ne sentait pas très bon. Si c'était ça, l'odeur du savon, il avait raison de lui préférer celle du trèfle.

Je revins attendre le papillon là où ma lourdeur m'avait empêché de le suivre. La nuit m'y surprit de nouveau sans qu'il apparaisse à l'horizon. «C'est fini, je ne l'attendrai plus, décidai-je à mon réveil. Allons voir Aucune-Idée.»

Avant même d'arriver à la colline, j'entendis des sons qui me figèrent sur place. Ils exprimaient tant de colère et de mécontentement qu'ils ne pouvaient être émis que par des humains.

J'eus la soudaine intention de me ruer sur eux et de leur faire savoir que j'avais perdu mon ballon à cause de leurs clôtures. Mais une grande peur s'empara de moi et je m'avançai avec prudence.

De loin, je vis un cheval attelé à une charrette et des silhouettes qui s'activaient à y hisser Aucune-Idée. Il était devenu vraiment très rond et je ne comprenais pas pourquoi les humains tempêtaient contre lui. Après tout, c'étaient eux qui avaient décidé qu'Aucune-Idée irait dans une fabrique de savon plutôt que dans une fabrique de trèfle. Ils n'avaient qu'à ne pas se plaindre de l'odeur, maintenant.

Ils étaient vraiment incompréhensibles, ces humains, et d'apparence quelque peu différente de ce que j'avais imaginé. Étant bipèdes, leur image ne se rapprochait-elle pas plus de la mienne que de celle du cheval ou du papillon? Cela me déplut.

Un bruit sec claqua et le cheval se mit à traîner la charrette où avait échoué Aucune-Idée.

Pourquoi me l'enlevait-on?

Tout à coup, j'aperçus mon ami papillon qui voletait derrière le cortège. N'avait-il donc aucune conscience du danger? Il avait beau pouvoir faire fi des clôtures, il n'en demeurait pas moins que les êtres capables de les installer étaient fort inquiétants.

Je voulus lui crier de revenir, de faire attention, mais j'avais trop peur et aucun son ne sortit de ma bouche.

«Et si les humains revenaient s'emparer de mon ballon?», pensai-je tout à coup.

Ayant trouvé un endroit sablonneux embaumé par le parfum des fraises, je creusai un trou et l'y enterrai.

Tu n'es sûrement pas dans une fabrique de savon car tu ne sens rien et tu n'es plus rond. T'avoir possédé, je saurais peut-être où tu es rendu. T'avoir attaché, tu ne serais peut-être pas tombé sur la clôture.

Est-ce que c'est la chaîne d'Aucune-Idée qui l'a protégé des clôtures?

J'ai vu les humains de loin. J'ai eu tellement peur que j'ai été incapable de mettre le papillon en garde. Je vais aller l'attendre sur la colline.

Il ne restait d'Aucune-Idée que la chaîne de son licou. Son maître l'avait-il oubliée, ou, n'en ayant plus besoin, l'avait-il laissée là? Je la pris et la trouvai froide.

Que font les humains aux papillons?

J'étais si inquiet. Et tellement, tellement triste.

Deux ailes colorées dansèrent alors dans mon champ de vision brouillé par le chagrin.

— Pourquoi es-tu parti? demandai-je au papillon.

Battement d'ailes pour toute réponse. J'étais choqué de l'avoir tant espéré mais heureux qu'il fût là.

— Les humains auraient pu te… te… t'enlever à moi.

— Cela fait partie des risques de la vie. Profitons de l'instant maintenant que nous sommes ensemble.

— J'aimerais pouvoir te suivre mais je suis trop lourd… Et puis je n'ai pas d'ailes.

— En effet, tu n'es pas conçu pour le vol.

— Moi, je ne peux pas te suivre, mais toi, tu peux te poser sur une de mes cornes pour voir les choses comme je les vois.

— Je veux bien essayer.

Il était si léger que je ne le sentais pas.

— Tu es là? lui demandais-je souvent en visitant les lieux.

— Oui, je suis là.

— Aucune-Idée disait que j'avais les yeux à la
hauteur des fleurs et que, pour cette raison,
je ne voyais pas très loin.

— Il avait raison. Moi, je suis habitué à voir de
haut… et très loin. C'est trop différent de voir par
tes yeux. Je ne m'y habituerai jamais.

Sur ce, il s'envola, monta jusqu'au faîte d'un
arbre et redescendit doucement, son aile inclinée
brillant au soleil. Comme il était joli!

Il revint se poser un instant sur ma corne et
repartit. Un peu plus loin. Un peu plus haut. Je ne
le quittais pas des yeux. «S'il fallait qu'il lui arrive
malheur!», me dis-je.

Tout à coup, il disparut. Le ciel était vide, de ce
grand vide qui meublait mon cœur. Je remontai
vite sur la colline pour voir de là-haut et le vit
revenir, insouciant et léger. Pourquoi était-il si
joyeux alors que j'avais été si malheureux de son
absence?

— Je ne veux plus que tu repartes. Je ne peux pas te suivre. Reste avec moi.

— Je dois vivre ma vie de papillon et non la tienne.

— Mais c'est dangereux. Je ne veux pas te perdre. Tant de choses peuvent t'arracher à moi.

— Je sais, mais c'est là le prix de la liberté. J'ai des ailes et le ciel m'appelle.

Il s'apprêtait à partir vers ces lieux d'où il ne pourrait peut-être jamais revenir. J'eus peur de le perdre. Vite, je tentai de l'attacher avec la chaîne d'Aucune-Idée.

Il s'écrasa au sol, les ailes écrabouillées. Il n'y eut ni un son, ni un souffle, ni un mouvement pour m'indiquer que je venais de le perdre.

Pour le garder, j'aurais donc dû le laisser partir.

Une nuit longue et froide suivit. Un vent violent soufflait sur la colline et me glaçait. Il n'y avait que moi dans le noir.

En m'éveillant, j'aperçus des miettes de couleur à la place du papillon. Il n'était plus. «Être ou ne pas être», pensai-je avec effroi.

J'eus soudain besoin de me retrouver près de mon ballon mais je fus arrêté par la clôture que les humains avaient réparée.

Étais-je à l'intérieur ou à l'extérieur? Je me sentais enfermé, incapable d'aller rejoindre mon ballon. Cependant, si j'avais été de l'autre côté de la clôture, j'aurais été incapable de rejoindre la colline d'Aucune-Idée.

De quel côté se trouvait la liberté?

Le secret de l'eau

J'étais démonté. Comment obéir à l'élan qui me poussait loin devant avec cette clôture? Et si je tentais d'aller loin derrière?

Je me retournai. Loin derrière devint alors loin devant.

Une chose mille fois plus inquiétante qu'un humain ou mille fois plus douce qu'un ballon existait peut-être par là.

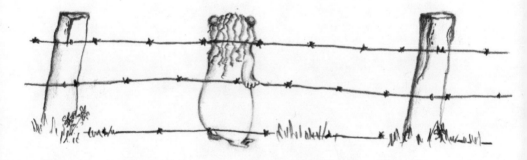

Malgré moi, ma main s'accrochait à la clôture. N'étais-je pas habitué à son hostilité? Je savais où elle était, qui elle était et d'où elle venait. Cela rendait rassurant de rester en ce lieu.

Allais-je partir à la découverte? Mais de quoi et de qui?

J'aurais aimé connaître ce que j'allais rencontrer sur ma route. Mais si l'on sait d'avance ce que l'on va découvrir, on ne découvre plus.

Partir ou rester? Je devais choisir, prendre une décision. Là encore, j'aurais aimé savoir laquelle était la bonne décision afin de pouvoir la prendre.

Mais il n'y a pas plus de choix que de découverte à faire si l'on sait d'avance.

Ainsi fis-je la connaissance du facteur inconnu. Il était devant moi, sans visage et sans nom, recelant toutes les horreurs et les beautés de ce monde.

Permettez que je vous le présente tel qu'il m'apparut.

N'y avait-il pas moyen de partir et de rester à la fois? Hélas non! C'était aussi irréalisable que d'être et de ne pas être en même temps.

J'obéis donc à la force qui me poussait vers les grands espaces.

Avant d'atteindre ce «loin devant», il me fallut d'abord aller «juste devant». Dans quelle direction? Celle de la colline? Non. Elle me rendait trop triste, cette colline, depuis qu'il y avait dans l'herbe tendre qu'Aucune-Idée avait broutée une chaîne lourde et froide sur des miettes de papillon. Je choisis plutôt de retourner au ruisseau.

J'eus alors l'impression de découvrir le trajet que j'avais déjà parcouru à cheval.

Perché sur Aucune-Idée, j'avais vu briller le ruisseau entre des buissons au creux d'un vallon. Mais, à pied, je ne voyais plus que des buissons.

Découvrir, était-ce aussi changer de point de vue?

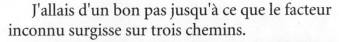

J'allais d'un bon pas jusqu'à ce que le facteur inconnu surgisse sur trois chemins.

L'obligation de prendre encore une décision m'amena à penser qu'un choix pouvait être inclus dans un autre choix, à l'instar des petites clôtures qui le sont dans les moyennes qui le sont dans les grandes.

Tous ces chemins menaient-ils au ruisseau?

Le facteur inconnu se gardait bien de me le faire savoir.

Rien ne m'obligeait à continuer sauf la force qui m'entraîna sur le chemin du milieu. Était-ce sage de me laisser guider par elle? Petit à petit, les arbustes devinrent plus denses, de sorte que je me sentis bientôt enfermé. Moi qui étais parti vers les grands espaces, je ne voyais plus qu'une multitude de feuilles.

Il me fallait aller de l'avant, mais où était l'avant? Ne suffit-il pas de se retourner pour que vers l'arrière devienne vers l'avant?

Je me mis à penser aux horizons baignés de lumière qui m'attendaient peut-être sur les autres chemins.

Comment savoir si j'avais pris la bonne décision?

Il m'aurait fallu pour cela aller au bout de tous les chemins, pour autant que je sache être rendu au bout.

J'avais fait confiance à la force qui m'habitait. Il me fallait maintenant vivre avec cette décision et poursuivre dans cette voie obscure.

Subitement les arbustes
s'éclaircirent pour
me dévoiler
ceci.

Voilà. C'était ma découverte.

Je tentai aussitôt d'établir la communication mais cette chose n'entendait pas les choses.

«Jouons avec elle pour mieux la connaître», pensai-je. Mais elle ne roulait pas, ne bondissait pas comme mon ballon, et semblait même avoir déjà perdu le souffle car elle était inerte et molle entre mes mains. Absolument pas amusante.

Que faire d'elle? Avec elle?

Pourquoi ne pas la posséder?

Aucune-Idée m'avait dit que les clôtures servaient à définir ce qui appartient à…

Je me mis donc à l'oeuvre.

Il ne me restait dès lors qu'à expérimenter les joies de la possession.

Mais si ma toute petite clôture était à l'intérieur d'une petite clôture qui, elle, était à l'intérieur d'une moyenne clôture et ainsi de suite jusqu'aux grandes clôtures invisibles que l'on nomme frontières, pouvais-je posséder l'espace que j'avais délimité?

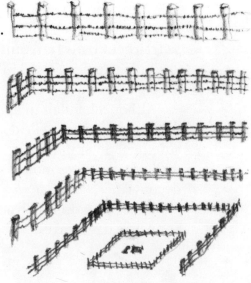

Le fait d'avoir découvert cette chose m'autorisait-il à en prendre possession?

Elle pouvait déjà appartenir à…

J'attendis longtemps… les joies de la possession.

Le soleil levant me surprit en pleine activité de possession.

Décidément, je n'avais plus rien à attendre et partis à la recherche du ruisseau. Je sentis bientôt sa fraîcheur dans l'air, puis je l'entendis gazouiller. Tout pailleté d'étoiles, il m'apparut enfin et je me précipitai vers lui.

Ah! quel bienfait m'apportait l'eau! Que de force et de douceur elle dégageait! Elle devait sûrement détenir quelques indices sur le mystère de l'existence. Des indices que j'avais soif de découvrir.

Il me fallut donc consacrer mes énergies à la connaître davantage.

Je la sentais filer entre mes doigts. Filer tout autour de moi. Il m'était impossible de la clôturer ou de l'attacher et pourtant j'éprouvais une joie sans égale à être en elle.

Était-ce là le signe qu'elle ne pouvait appartenir à personne mais qu'elle appartenait à tout le monde?

Elle me désaltérait, me lavait, m'apaisait. Je devinai qu'un lien robuste et mystérieux existait entre nous car son langage s'adressait à une partie de mon être aussi insaisissable qu'elle.

Mais d'où venait-elle donc et où allait-elle?

Le sachant, je saurais peut-être d'où je venais et où j'irais moi-même.

Je résolus de trouver d'abord d'où elle venait.

À peine avais-je accompli quelques pas à contre-courant que j'eus à aller subitement au fond des choses.

Floush!

Je retins mon souffle et me laissai descendre. De délicieux bruits d'onde éveillaient chez moi de lointains échos de berceuse.

Mon corps avait perdu de sa lourdeur et de sa maladresse. De lui-même, il se mit à remonter, me procurant l'agréable sensation d'évoluer avec grâce comme mon ami papillon.

Je plongeais, virais, remontais à ma guise,
émergeant à l'occasion pour une bouffée d'air.

Ah! quelle ivresse que de s'ébattre en toute
liberté dans cet espace fluide que les humains
n'avaient pas divisé!

Cet élément me convenait parfaitement.
En lui, je baignais dans un état de bien-être et de
plénitude, et il m'apparut désormais essentiel à
mon équilibre.

C'était donc vers cette merveilleuse découverte
que j'avais été guidé.

Une découverte encore plus sublime devait
sûrement m'attendre au détour du méandre.

Une étrange et rondouillarde créature m'apparut alors. Elle cherchait je ne sais quoi dans l'eau.

Elle me renifla et la communication s'établit aussitôt.

— Bonjour. Qui es-tu?

— Je suis un raton laveur.

— Tu cherches à découvrir le secret de l'eau, toi aussi?

— Non. Je cherche de la nourriture. De quel secret parles-tu donc?

— Je veux savoir d'où vient et où va l'eau.

— Ah! ça!

Elle retourna à son occupation. Afin de voir les choses de son point de vue, j'adoptai la même pose qu'elle et me mis à tâtonner au fond de l'eau à sa manière.

Je ne savais pas trop ce qu'elle entendait par nourriture mais c'était le meilleur moyen de l'apprendre.

— C'est difficile de savoir d'où vient l'eau, poursuivit cette créature dont les membres antérieurs étaient aussi courts que les miens. Une chose est certaine: elle rejoint toujours l'eau. Il suffit de voir quand il pleut. Les gouttes forment des filets qui deviennent des rigoles puis des ruisselets qui se joignent au ruisseau. Si tu continues à remonter le courant, tu arriveras à un lac. Mais d'où en vient l'eau? Ça, j'sais pas.

— Et sais-tu où il va, le ruisseau?

— Il rejoint une petite rivière. Après, j'sais pas, c'est au-delà de mon territoire.

— Territoire? C'est quoi, ça?

— C'est l'espace dont j'ai besoin pour vivre.

— Il t'appartient?

— J'sais pas.

— Est-ce que tu l'as délimité avec une clôture?

— Comme font les humains? Jamais de la vie. Je l'ai délimité avec ma seule odeur.

— Est-ce que je suis sur ton territoire, ici?

— Oui.

— Est-ce que c'est grave?

— Non.

— Pourquoi?

— Parce que tu n'es pas un raton. Nous n'avons pas les mêmes besoins.

— Aïe!

Je venais de trouver ce qu'était la nourriture ou plutôt c'est la nourriture qui m'avait trouvé. Personnellement, elle n'éveillait pas mon appétit, mais le raton s'en empara et la croqua aussitôt. Ouf! j'étais soulagé de n'avoir pas les mêmes besoins que lui.

— Qu'est-ce que tu ferais si j'étais un raton?

— Je t'interdirais mon territoire.

— Tout comme les clôtures qui nous empêchent d'aller où l'on veut?

— Je ne t'empêcherais pas d'y passer mais seulement de l'occuper.

— Et pourquoi, ici, c'est ton territoire?

— Parce qu'il était inoccupé quand je l'ai découvert.

— Comme ça, quand un territoire est inoccupé, on peut le faire sien?

— Bien sûr.

— Étant donné que je n'ai encore jamais rencontré d'être qui me ressemble sur le territoire que j'ai découvert, je peux le faire mien?

— Bien sûr.

— Même s'il est sur le tien?

— Pour autant que nous n'ayons pas les mêmes besoins. Il te faudra cependant l'interdire à ceux qui sont à ton image et à ta ressemblance.

— Mais j'ai besoin de l'eau, moi aussi. Elle m'est essentielle.

— Ah! ça! Tout ce qui vit en a besoin. Il nous faut la partager.

— Ça la rend précieuse. Est-ce qu'elle pourrait ne plus être?

— J'sais pas, mais si elle n'était plus, la vie ne serait plus possible. Bon, je dois rentrer maintenant.

— Où?

— Chez moi. Tu peux venir si tu veux.

Je suivis cette créature qui se déplaçait à une vitesse tout à fait confortable.

— C'est encore ton territoire, ici?

— Chez moi ne peut être ailleurs.

— Et ton territoire, il est à l'intérieur des clôtures?

— Non. Ce sont les clôtures qui sont sur mon territoire.

Ça se compliquait drôlement. Voyons voir. Pour avoir un chez-soi, il fallait d'abord un territoire. Et, pour faire sien un territoire, il ne fallait pas qu'il fût occupé par un être identique à soi et ayant les mêmes besoins. L'ayant fait nôtre, il suffisait dès lors de l'interdire à ces êtres qui sont à notre image et à notre ressemblance.

Je croyais avoir tout compris jusqu'à ce que nous arrivions chez le raton.

— Oh! mais ils sont à ton image et à ta ressemblance, eux. Pourquoi ne leur interdis-tu pas ton territoire?

— Parce que ce sont mes petits. Je suis leur mère.

— Une mère! Tu es une mère?

Imaginez! J'étais en présence d'une mère qui venait d'une mère qui, elle, venait d'une mère jusqu'à la première de toutes, qui, elle, on ne savait pas.

Comment ne pas être grandement impressionné?

Elle émit de doux sons en les léchant avant de s'introduire dans une cavité. Aussitôt, les petits fouinèrent dans son pelage.

Je sentis que ce moment ne m'appartenait pas et je demeurai à l'extérieur.

Il y avait là, tout
près de moi, une mère.
C'était grand, tout cela.
Et moi, j'étais si petit.
Pourquoi ne serais-je pas
arrivé ici par la magie d'une
mère?
Ah! le doux rêve d'avoir une mère
et des êtres qui me ressembleraient!

J'enviais les ratons ronronnant de bonheur
dans la chaleur de leur fourrure.

Quelle chance ils avaient d'avoir une mère, un
chez-eux et un territoire!

Moi, j'étais seul de mon espèce.

Et, plus j'avançais,

Loin derrière ou loin devant, qu'importe,

Plus c'était confus.

J'espérais que la mère raton

Puisse mettre de l'ordre

Dans toutes les choses pêle-mêle de mon âme.

Mais, quand elle revint enfin, elle s'employa à fouiller parmi les choses pêle-mêle étalées sous mes yeux.

Des choses irritantes et disgracieuses que je m'efforçais d'ignorer, préférant me livrer tout entier à mes émotions.

Il n'y avait qu'elle.

Rien de ce qu'elle reniflait, manipulait ou déplaçait ne devait troubler ma béate admiration.

Seule m'importait cette mère venue d'une mère…

Ce qu'elle me parut grandiose!

— Comment ils sont venus de toi, tes petits?

— Ils étaient dans mon ventre.

— Et comment ils ont fait pour se retrouver en dehors de ton ventre?

— Il leur a fallu naître.

— C'est quoi, naître?

— Ben, c'est sortir de sa mère et respirer par soi-même.

— C'est quand on naît qu'on a notre propre souffle?

— Oui. C'est comme ça qu'on arrive ici.

— Et quand on perd le souffle, on part d'ici?

— Ce me semble évident.

— Je n'ai pu rien faire quand mon ballon a perdu le souffle.

— Moi, je n'aurais pu rien faire pour que mes petits l'aient.

— Comment? Ce n'est pas toi qui le leur as donné?

— Non. Je leur ai simplement permis de naître. Le souffle, je ne sais pas d'où il vient ni où il va.

— Aucune-Idée, quand il a perdu le souffle, il est parti dans une fabrique de savon.

— Qui c'est, celui-là?

— Un vieux cheval. Où elle est, la fabrique de savon?

— J'sais pas. S'il était très vieux, c'est normal qu'il ait perdu le souffle. On ne peut pas toujours le garder. Vient un temps où il faut le rendre.

J'étais déçu de n'en savoir pas plus sur la provenance et la destination du souffle.

Deux facteurs inconnus fort troublants me cernaient: l'avant-souffle et l'après-souffle. Mystère aussi insaisissable que l'eau.

Il n'y avait qu'une certitude: j'avais le souffle.

Alors que ces facteurs inconnus me pressaient de part et d'autre, la mère raton s'affairait à des tâches nettement plus terre-à-terre. Les tintements et grincements déplaisants que provoquaient ses fouilles finirent par m'obliger à jeter un regard sur ce qui n'était nullement en harmonie avec le lieu.

— Que sont toutes ces choses? D'où proviennent-elles?

— Ce sont des déchets. Ils proviennent des humains.

— Qu'est-ce que tu cherches?

— De la nourriture.

— Encore?

— Il le faut bien. J'ai des petits à nourrir. Mais il n'y a rien de neuf là-dedans. Rien qui se mange.

J'étais soulagé de la voir abandonner les
déchets car je n'avais guère envie d'adopter son
point de vue, cette fois-ci.

— Ça ne me surprend pas des humains. Est-ce
qu'il y en a partout comme les clôtures?

— Là où il y a des humains, il y a des déchets.

— Pourquoi?

— Parce que ce sont là des choses dont ils se
débarrassent. Des choses qu'ils ne veulent plus
posséder, quoi.

— Se débarrasser, c'est ne plus vouloir
posséder?

— C'est ça.

— Il y en a beaucoup, des choses
qu'ils ne veulent plus posséder.
Ce n'est pas très joli.

— C'est rien, ça. Il y a aussi leurs poubelles.

— Poubelles?

— Ce sont des récipients dans lesquels ils entassent leurs déchets. Je les visite régulièrement.

— Pourquoi?

— Parce qu'il y a là des choses bonnes à manger.

— Tu les fais tiennes?

— Bien sûr. Ils n'en veulent plus; moi, oui. De toute façon, leurs poubelles sont sur mon territoire. Leur maïs aussi, d'ailleurs. Miam!

— Est-ce qu'on peut faire sienne une chose que l'on découvre?

— Si c'est un déchet ou si c'est sur notre territoire.

— Mais si on n'a pas de territoire et qu'on ignore si c'est un déchet?

— Ah! là, j'sais pas.

De légers bruits plaintifs interrompirent notre conversation.

— La faim les empêche de dormir, s'exclama la mère raton en voyant venir deux rejetons. Ça ne me surprend pas qu'elles soient les premières à sortir, ajouta-t-elle avec une pointe de fierté. Ce sont des femelles.

— Des femelles?

— Oui. Un jour, elles seront des mères.

— Des mères!

Je regardais progresser les chancelantes créatures qui me semblaient bien fragiles pour avoir le privilège d'être un jour témoins de l'arrivée du souffle.

— Il faut être une femelle pour être une mère?

— Bien sûr.

— Et quand on n'est pas une femelle, on est quoi?

— Un mâle.

— Et un mâle ne peut pas être une mère?

— J'aimerais voir ça!

Les bébés cherchaient à fouiner dans la fourrure de leur mère qui s'y dérobait doucement.

— Moi, je ne sais pas si je suis un mâle ou une femelle.

C'est à ce moment que je sentis une de ces jeunes créatures s'agripper à moi.

— Tu peux la prendre, permit la mère raton qui avait deviné mon désir d'un contact plus intime.

Je me penchai donc et la saisit.

— Tu es un mâle, affirma-t-elle aussitôt.

— Comment sais-tu cela?

— Juste à ta façon de la prendre. Il y a des choses qui ne trompent pas.

La petite se tortilla aussitôt en lâchant des cris d'alarme, ce qui élimina mes regrets naissants de n'être pas une femelle.

— Ne la serre pas si fort. Assieds-toi; ça ira mieux.

Je suivis ces sages conseils. Le bébé se calma puis chatouilla ma peau de son petit museau humide et inquisiteur. Bientôt, l'autre l'imita et je pus caresser leur pelage.

— Je dois trouver d'autre nourriture.

— Pourquoi?

— Pour avoir du lait pour mes bébés.

— Comment ça, «avoir du lait»?

— C'est simple: ce que je mange est transformé en lait.

— Tu es une fabrique de lait, alors?

— Entre autres choses.

— Et s'il n'y a plus de lait pour les bébés?

— Je ne pourrai rien faire pour éviter qu'ils perdent le souffle.

— Oh! je comprends maintenant pourquoi tu cherches toujours de la nourriture. Dis donc, c'est drôlement grave d'être une mère.

— À qui le dis-tu! Je crois que c'est demain la cueillette des déchets. Allons y faire un tour. Tu veux bien me remplacer?

Comment refuser tâche si agréable?

Une fois la maman partie,
les frérots trouvèrent moyen
de sortir à leur tour. Je me
sentis vite envahi, puis dépassé.
Être mère n'était
décidément pas une tâche
de tout repos.

Le jour déclinait et J'sais-pas, la mère raton,
n'était pas encore revenue. Les petits avaient fini
par s'endormir sur moi.

Je n'osais bouger, de crainte qu'ils ne s'éveillent
et ne réclament du lait.

«S'il fallait qu'elle ne revienne pas!», pensai-je.

Moi qui n'avais rien pu faire pour empêcher
mon ballon de perdre le souffle, j'étais angoissé à
l'idée de voir s'échapper celui des bébés ratons.

Quel ne fut pas mon soulagement de la voir enfin arriver, tout essoufflée!

— Ouf! je l'ai échappé belle! Les humains m'ont fait la chasse.

— C'est quoi, faire la chasse?

— C'est vouloir t'enlever le souffle. Ils n'aiment pas que je fouille dans leurs poubelles.

— Ils t'enlèveraient le souffle avec leurs clôtures, comme pour mon ballon?

— Bien non, voyons! Avec leur fusil.

— Fusil? Connais pas.

— C'est un instrument qui sert à enlever le souffle à distance. Paf! et le souffle s'en va.

Un frisson me parcourut.

— Je crains les humains. Ils ont toutes sortes de moyens pour enlever le souffle.

— Oh! tu sais, l'enlever, c'est très facile. Le préserver, par contre, c'est autre chose.

À peine éveillés, les petits flairèrent la présence de leur mère et la rejoignirent. Je me sentais fourbu mais combien privilégié d'assister à leur allaitement. Jamais fabrique de lait ne me parut plus noble et plus attachante.

— J'ai eu peur que tu ne reviennes pas. Il n'y a pas moyen d'aller chercher de la nourriture là où les humains ne risquent pas de t'enlever le souffle?

— Ils ont éliminé beaucoup de forêt sur mon territoire pour y semer leur maïs. Je dois m'adapter si je ne veux pas disparaître.

— T'adapter?

— C'est-à-dire changer, manger autre chose. Le maïs, par exemple. Mais il n'est pas encore prêt. Alors, je me rabats sur les déchets de table.

— Mais tu pourrais ne plus revenir et tes petits partiraient d'ici.

— C'est vrai. Mais, sans mon lait, ils partiraient aussi. Cela fait partie des risques de la vie.

— Tu parles comme mon ami papillon. Pour conserver le souffle, il te faut donc risquer de le perdre?

— Pas toujours, heureusement. Quand le maïs est à point, c'est une affaire de rien d'aller le chercher à la faveur de la nuit.

— Et les clôtures?

— Oh! moi, les clôtures, elles ne m'incommodent pas vraiment.

— Tu es libre, alors. Aucune-Idée disait que la liberté c'était comme si les clôtures n'existaient pas.

— J'sais pas. Je n'ai jamais pensé à la liberté.

— Peut-être parce que tu n'en as jamais été privé.

Repus de lait, les petits s'endormirent ainsi, hors du gîte.

Maman raton bâilla et m'invita à passer la nuit avec eux. N'était-ce pas là m'offrir de partager l'étourdissante immensité?

Nos chaleurs réunies, mon souffle mêlé aux leurs, je m'abandonnai à la douce illusion d'avoir une mère et un chez-moi.

Illusion qui s'évapora telle la rosée le lendemain. Je n'étais pas plus raton que cheval.

Il me fallait poursuivre ma route.

— Tu reviendras; les petits t'adorent. Fais-le-moi savoir si tu trouves le secret de l'eau ou… hum… de la nourriture.

— D'accord. Fais attention aux fusils.

Cela me coûtait de les quitter mais j'avais tant de choses à découvrir.

Je remontai le courant, impatient d'atteindre ce lac dont m'avait parlé J'sais-pas.

Hélas! une clôture mit fin à mes espérances à un endroit où le ruisseau élargi n'offrait que très peu de profondeur.

Quoique moins agressive que celles déjà
rencontrées, la clôture m'empêchait tout de même
de passer.

Déçu, je regardais filer librement le ruisseau.

Parviendrais-je jamais à découvrir le secret de
l'eau?

Elle

Bruit d'eau et de vie,

Pénétrante caresse du soleil,

Brises parfumées du matin,

Je suis…

Question sans réponse,

Pour l'instant sans intérêt.

N'a d'importance que le souffle à ma bouche,

Porteur de l'encens de la création.

Le souffle que j'aspire et expire.

En moi, hors de moi, en moi.

Avant le souffle, après le souffle,

Le souffle.

Je suis…

Dans l'eau, un visage…

Un mirage…

Qui est-il?

Mes yeux encore ensommeillés

M'inventent un être

En qui je me confonds

Et me retrouve.

M'apparaît un regard.
Se dilate mon cœur,
Créant l'émoi
Et le trouble exquis.
Je suis et…

— …je veux être avec toi.
— Moi aussi.
— Mais il y a cette clôture…
— Attends-moi.

Je regardais s'éloigner
cette créature et quelque chose en elle
donnait un sens à ce que j'étais. Bien qu'elle fût à
mon image et à ma ressemblance, je n'aurais eu
nulle envie de lui interdire mon territoire.

Chacun de ses cheveux brillant au soleil
diffusait une lumière en moi. Une lumière qui,
subitement, disparut en même temps qu'elle.

«Et si je ne la revoyais plus? Pire, si elle n'était
qu'un mirage?», me dis-je. Me fallait-il briser
cette clôture pour la rejoindre?

Pour cela, mon âme devait être soulevée d'un
grand mouvement.

Or, en moi, comme dans l'eau, ne subsistaient
que les remous de son image.

— Mais! Comment? La clôture? Tu n'as rien?
Tu… tu… Tout va bien?

— Oui, je vais bien. Pourquoi t'affoles-tu
comme cela?

— À cause de la clôture… C'est tellement
dangereux. Comment as-tu fait pour être ici?

— Je suis passée par la porte.

— La porte?

— Oui, celle qui est tout près.

— C'est quoi, une porte?

— C'est ce qui nous permet de traverser les
clôtures. Tu n'as jamais vu de porte?

— Non, seulement des clôtures.

— Viens, je vais te montrer.

— Tu vois, c'est une ouverture qui nous permet de passer.

— Avoir su… Est-ce qu'il y en a beaucoup, des portes?

— Autant qu'il y a de clôtures. C'est bien pratique.

— Oui, je vois. Chaque fois qu'il y a une clôture, il y a donc une porte?

— Oui, mais on ne la voit pas toujours.

— Quand on sait où sont les portes dans les clôtures, c'est comme si on était libre?

— À la condition de savoir les ouvrir. Celle-là, les humains la laissent toujours ouverte depuis qu'il n'y a plus de cheval.

— Tu connais Aucune-Idée, le cheval? Et les humains aussi?

— Je sais seulement qu'ils l'ont emmené dans une fabrique de savon.

— Et où elle se trouve, cette fabrique?

— L'enfant m'a dit qu'un gros camion est venu le chercher pour l'y conduire. Cela le rendait très triste.

— L'enfant?

— Oui, le petit des humains.

— Il y a des mères chez les humains?

— Oui.

— Tu les connais donc bien, les humains?

— Seulement leur petit. Avec lui, c'est facile de communiquer. Il aimait beaucoup qu'Aucune-Idée le promène sur son dos.

— Moi aussi, j'aimais ça. C'était bon d'aller avec lui au ruisseau et de voir les choses à sa manière. Toi, tu as les yeux à la même hauteur que les miens. Nous devrions voir les choses de la même façon. Comment se fait-il que je n'aie jamais vu la porte?

— Peut-être parce que nous n'avons pas vécu les mêmes choses. Tu vois, moi, le cheval, je ne l'ai jamais rencontré. C'est l'enfant qui m'en a parlé.

— Moi, c'est l'enfant que je n'ai jamais rencontré.

— Tu veux le voir?

— Euh…

J'étais curieux de découvrir le petit des humains mais, en même temps, j'avais grand-peur d'approcher ces êtres incompréhensibles.

— Tu verras, l'enfant est sans danger pour nous.

Je la suivis donc. Lorsque nous fûmes rendus à proximité, elle se mit à quatre pattes et se faufila entre les plantes odorantes. Elle me fit voir une étrange habitation munie de portes et entourée de clôtures.

— C'est la maison des humains.

Elle redoubla alors de prudence et je ressentis son inquiétude. Que faisions-nous là? Voir l'enfant valait-il le risque qu'un fusil nous enlève le souffle à distance?

— Le voici! chuchota-t-elle tout à coup avec ravissement.

Et,
l'apercevant,
j'eus l'étonnante révélation
d'une parenté avec cet être.

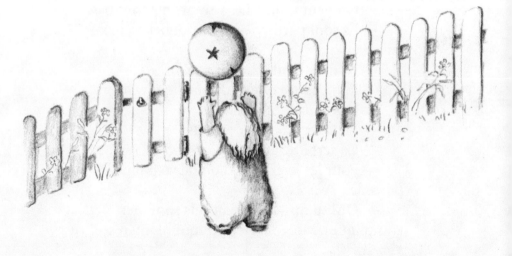

— On peut y aller. Les parents n'y sont pas.

— Ils sont partis visiter les poubelles, eux aussi?

— Non. Ils sont partis travailler.

— Et qu'est-ce que ça donne de travailler?

— Ça donne des sous.

— Et ça sert à quoi, des sous?

— Ça sert à se procurer des choses.

-– Pour les jeter quand on ne veut plus les posséder?

— Oh! tu sais, les parents, ils sont bien compliqués. Moi, c'est le petit qui m'intéresse. Tu viens?

— Je préfère d'abord observer d'ici.

Elle ouvrit une petite porte dans une petite clôture et aussitôt l'enfant accourut vers elle.

Ils communièrent instantanément dans les mêmes jeux et les mêmes joies.

Bien que j'eusse décidé de demeurer en retrait, j'eus l'impression de ne plus «être avec elle».

Elle faisait avec lui des choses qui me rendaient tout drôle. Comme lui lancer le ballon.

Oh! que je me languissais d'elle!

Après un temps interminable, elle revint.

— Il nous ressemble, hein?

— Oui, même que son ami ballon ressemble beaucoup au mien.

— Tu as un ami ballon?

— Plus maintenant: il a perdu le souffle sur une clôture.

— C'est dommage. Nous aurions pu jouer avec lui.

La disparition de mon ballon me parut encore plus tragique. Dire qu'il aurait pu aller joyeusement de mes bras aux siens.

— Je crois avoir une possession. Tu veux la voir?

— Bien sûr.

Chemin faisant, je lui présentai J'sais-pas.

Juste à sa façon de prendre un des petits, je compris qu'elle était une femelle.

Il y avait dans ses gestes l'enveloppante et sécurisante caresse de l'eau qui me faisait rêver d'être transformé en petit raton. Elle éveillait chez moi une émotion sans pareille.

N'était-ce pas unique et magique d'avoir rencontré cette femelle à mon image et à ma ressemblance?

J'étais impressionné. Intimidé. Quel beau et grand rôle lui était réservé: être un jour mère! Et quel était le mien?

Confusément, je sentis qu'il m'incombait de faire en sorte que rien ne puisse lui porter atteinte.

— Voilà. Ce doit être ma possession puisque j'ai fait une clôture autour.

— Tu n'as pas fait de porte.

— Ce n'est pas grave: elle ne bouge pas.

— Et qu'est-ce que tu en fais?

— Je la possède… mais ce n'est guère amusant. Elle était comme ça quand je l'ai découverte. J'ai bien essayé de jouer avec elle mais elle ne roule pas, ne bondit pas, ne flotte pas.

— Elle est jolie.

— Tu trouves?

Je la lui offris et elle sut aussitôt en disposer.

Elle avait raison: c'était très joli… sur sa tête.

— C'est à toi, maintenant.

Posséder ma découverte ne m'avait apporté aucune joie, mais la donner me fut délicieux.

Délicieux aussi
D'aller avec elle,
Mes yeux cueillant les siens
Enjôleurs comme des fleurs.

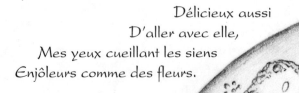

Délicieux son rire
Comme autant
de perles d'eau
En pluie sur moi.

Délicieux son parfum
À humer, yeux fermés,
À reconnaître
Et respirer avec le souffle.

Délicieux le goût des fraises
Au bout de ses doigts
Ou le goût de ses doigts
À mordiller.

Délicieux ses cheveux.
Irrésistible la timide caresse
Dans les fils soyeux
De sa tête endormie.

À notre réveil, elle proposa d'aller jouer avec l'enfant. Une ombre se faufila dans mon cœur inondé de sa lumière car je désirais «être toujours et seulement avec elle».

Cependant, l'idée de connaître davantage le petit des humains tout en partageant son ami ballon me parut attrayante.

Nous étions presque rendus lorsque, soudain, un être hostile se manifesta.

GRONDANT,
ABOYANT,
il nous barrait la route.

— Il appartient aux humains.

— Tu crois?

— Oui. Il a un licou et une chaîne comme Aucune-Idée.

— Qu'allons-nous faire?

La sentir craintive amplifia chez moi l'instinct de la protéger.

— Je vais tenter d'établir la communication, dis-je. Reste ici.

Quelle audace! Avoir été tout seul, j'aurais rebroussé chemin. Mais elle était là, derrière, et cela m'enhardissait.

Je m'approchai avec détermination, signalant mes intentions pacifiques. L'être se calma et nous pûmes communiquer.

— Qui es-tu?

— Je suis un chien.

— Pourquoi nous interdis-tu ton territoire? Nous ne sommes pas à ton image.

— C'est le territoire de mon maître que j'interdis.

— Pourquoi?

— Parce que c'est mon devoir.

— C'est quoi, un devoir?

— C'est ce qu'on doit faire. Je suis ici pour signaler l'approche de tout intrus et pour protéger le petit.

— Des intrus?

— Oui; des êtres qui ne sont ni invités ni désirés.

— Mais nous ne sommes pas des intrus car le petit nous désire.

— Lui, oui, mais pas ses parents. Ils n'y sont pas pour l'instant. Vous pouvez passer: je sais que vous êtes inoffensifs.

Je jugeai préférable de demeurer en compagnie du chien pendant qu'elle s'amuserait avec l'enfant. Cette notion de devoir qui le régissait me rendait perplexe.

L'emprise que les humains avaient sur lui pouvait-elle nous atteindre?

— C'est sur le territoire de J'sais-pas que les humains ont installé leurs clôtures.

— Qui c'est?

— C'est une mère raton.

— Ah! elle! Je connais; elle vient fouiller dans les poubelles. J'ai reniflé sa piste. La vôtre aussi, d'ailleurs.

— Une piste?

— Oui; les traces de votre passage.

— Nous laissons des traces?

— Évidemment. Regarde à tes pieds.

— Ah! tiens donc! Je n'avais jamais remarqué.

— Celles-là sont visibles. Elles sont pour les humains. Moi, je puis détecter les invisibles: celles qui flottent dans l'air.

— Tous les êtres laissent des traces de leur passage?

— Oui... mais elles ne sont pas toujours relevées. Et puis, avec le temps, elles s'estompent.

J'étais dérouté face à ce phénomène. Quoi donc? Je laissais des traces que les humains pouvaient voir?

Quel grand risque elles comportaient! Vite! il me fallait les faire disparaître!

— Il est inutile d'essayer de les effacer.

— Pourquoi?

— Parce que je détecte les invisibles et que si mon maître me demande de suivre les vôtres, je le ferai.

— Pourquoi?

— Parce que c'est mon devoir.

À peine avais-je réalisé que l'emprise des humains sur cet être pouvait nous atteindre qu'il se remit à aboyer férocement. Son maître venait d'arriver.

Ma toute belle me rejoignit et nous prîmes la poudre d'escampette vers le ruisseau. N'était-ce pas là l'endroit idéal où nous réfugier avec nos petites pattes et nos pieds palmés?

Lorsque nous nous sommes enfin arrêtés, nous n'entendions plus que nos souffles haletants.

Un rocher nous invita à y reprendre haleine. Je voyais nos traces autour de nous et n'osais lui faire part de leur traître réalité. Je la sentais déjà si désemparée à mes côtés.

— Sommes-nous… vraiment? s'enquit-elle.

— Bien sûr. Pourquoi ne serions-nous pas… vraiment?

— Les parents de l'enfant lui ont dit que nous n'étions pas… vraiment.

— Comment ça?

— Ils prétendent que nous ne sommes que dans sa tête.

— Je ne comprends pas.

— Moi non plus. Suis-je? demanda-t-elle, l'air songeur.

— Bien sûr que tu es! Regarde ta piste. C'est les traces de ton passage. Elles sont la preuve même de ton existence.

— Ah! tiens donc! Je n'avais jamais remarqué. Mais c'est merveilleux!

Elle était soulagée. Moi, embarrassé d'avoir à lui dire que, tout en confirmant notre existence, nos traces la trahissaient.

— Mais les humains peuvent les voir… et les suivre… et nous découvrir… et peut-être nous enlever le souffle. Nous laissons même des traces invisibles que C'est-mon-devoir est capable de détecter. N'est-ce pas effrayant?

— Non, c'est rassurant. Je fais des traces, donc je suis.

Elle était
Et s'employa aussitôt à faire des traces
Autour de moi,
Ravie, extasiée par ses propres empreintes,
Me communiquant, pas à pas,
La simple joie d'être.
Elle était, plus tard,
Toute chaude contre moi, endormie,
Du sable entre les doigts de ses pieds
Ayant inscrit son existence.
Je la serrai un peu.
Elle était
Entière et pleinement en moi,
Sa voix, son image, sa peau, son parfum
Me troublant sans merci.
Je la serrai un peu plus.
Elle était
Et la seule pensée qu'elle puisse ne plus être
Me catapultait dans un gouffre.
Serais-je encore sans elle?
Je la serrai de toutes mes forces et elle s'éveilla.

— Tu m'étouffes. Ne m'enferme pas comme ça
dans tes bras.
— Pardon.
Elle se rendormit. Moi pas.
Et je la contemplai jusqu'à l'aube.

Je fis alors une découverte formidable: nos traces se perdaient dans l'eau.

— Cherchons ensemble le secret de l'eau. Les humains ne pourront pas suivre nos traces. Pas plus que C'est-mon-devoir puisqu'il détecte celles qui flottent dans l'air.

— Oh! oui! Nous irons dès que je serai de retour.

— Mais… où vas-tu?

— Chez l'enfant.

— C'est beaucoup trop dangereux, voyons.

— J'ai promis. C'est important.

— Plus important que moi?

Ce petit commençait à prendre beaucoup de place dans son cœur. Pourquoi n'y étais-je pas en exclusivité comme elle l'était dans le mien?

— Il a un gros chagrin: sa maman est partie, hier.

— Elle va revenir. Les mamans reviennent toujours.

— Chez les humains, c'est beaucoup plus compliqué, tu sais bien.

— Et beaucoup plus dangereux.

— Si je n'y retourne pas, il ne croira plus en moi. Il doit au moins savoir que je suis vraiment. Comment la retenir?

— Je n'irai pas avec toi, alors.

— J'y allais sans toi auparavant.

— C'est-mon-devoir ne te laissera pas passer.

— En l'absence de son maître, il n'est pas à craindre.

— Et si le maître y est?

— Je m'arrangerai.

Elle partit.

Éteint,
Mon cœur me tomba au fond du cœur,
Lourd comme pierre
Et noir.
À n'y rien voir.
Ni devant.
Ni derrière.
Ni dedans.

Sans elle, le secret de l'eau ne m'intéressait plus.

J'allai consulter J'sais-pas qui somnolait après une nuit de razzia dans les poubelles. La sagesse de cette mère pourrait sans doute m'éclairer.

— Elle est retournée avec l'enfant. J'aurais préféré qu'elle reste avec moi, tu comprends? Ensemble, nous aurions remonté le ruisseau. Oui, c'est vrai qu'après elle va revenir… mais, justement, c'est après. Après lui, tu comprends?

» Et puis il y a un chien maintenant. Fais attention; il a reniflé ta piste.

» Oui, je sais, elle est prudente. Ce n'est pas ça…

» Je n'ai pas su la retenir. Elle, elle est tout entière dans mon cœur.

» Mais moi, dans le sien, je ne sais pas la place que j'occupe.

» J'aimerais tellement, rien qu'à moi, lui habiter tout le cœur.

» Bien sûr que toi et tes petits êtes dans le mien… mais ce n'est pas pareil.
Ah oui? C'est pareil, tu crois?

» Il me faut la protéger aussi. Si j'installais une clôture autour d'elle et que je sois le seul à savoir où se trouve la porte? Non, t'as raison: elle pourrait y perdre le souffle comme mon ballon.

» Une chaîne, c'est hors de question. Le papillon m'a appris que, pour le garder, j'aurais dû le laisser partir. Tu sais ce qu'elle m'a demandé? De ne pas l'enfermer dans mes bras. Tu crois qu'ils peuvent devenir des chaînes, nos bras? Oui, hein?

» J'ai tellement peur de la perdre.

» Pourquoi ne pas nous définir un territoire et y établir un chez-nous? Quelle bonne idée! Oui, nous allons rejoindre le lac et nous y installer. Tu pourras venir nous visiter car nous n'avons pas les mêmes besoins. L'eau, l'air et le soleil nous alimentent. Les petites fraises ne sont que pour le plaisir. Youpi! Nous aurons un chez-nous loin des humains et ainsi nous pourrons toujours «être ensemble».

Grâce aux judicieux conseils de J'sais-pas, j'avais de nouveau le cœur baigné de sa lumière et si gonflé de bonheur qu'il me donnait la sensation de flotter.

Tel un joyeux ballon, je volai vers elle.

Mais le joyeux ballon creva
Sur une horrible clôture
Fermée tout autour d'elle.
À travers les pleurs de l'enfant,
Je l'entendais m'appeler.
Et, entre les barreaux,
Je voyais ses bras, vers moi tendus.
Le souffle coupé,
Je demeurais sans voix et sans geste.

Le camion s'éloigna
Sous l'œil stoïque du chien.
Et le mouvement puissant,
Capable de détruire les clôtures,
Déferla au fond de moi.

Qui qu'ils soient, les humains n'avaient pas le droit de me l'enlever.

Malgré ma vulnérabilité, mon ignorance et ma peur, je me mis en route, résolu à la chercher tant que j'aurais le souffle.

Une grande force m'habitait,
Me poussait
Au-devant de toutes ces clôtures
Dont il me faudrait ouvrir les portes.
Au-devant de tous ces chiens
Faisant leur devoir au bout de leur chaîne.
Au-devant de tant de facteurs inconnus.
Pour «être» de nouveau avec elle,
J'allais pénétrer l'univers des humains,
Le découvrir et… qui sait?…
Peut-être le comprendre…

imprimerie gagné ltée

IMPRIMÉ AU CANADA